U0065008

目錄

貓巧可玩 記憶體操

學習力篇

文 王淑芬　圖 尤淑瑜
審訂 國立屏東大學特殊教育學系主任 侯雅齡

1 點格棋

貓小葉今天氣呼呼的，頭上連一小片葉子都沒有。原來，他跑步比賽又輸給姐姐了。

「不公平！姐姐的腳比較長，跑起來當然比我快。」貓小葉嘟起嘴巴。

貓小花摸摸弟弟的頭，提醒他：「可是，你玩連連看時，每次都贏我。」那是紙上遊戲，必須將許多小點連成線，看看最後會連成什麼圖案。貓小葉很厲害，才剛開始連幾個點，便能猜出最後的圖案。媽媽說，那是因為貓小葉的空間能力很強，在紙上根據已有的線索，預測出結果。

貓巧可想了想，說：「有一種遊戲，叫做點格棋，它也必須運用空間能力。這是一位數學家設計的『兩人遊戲』，玩起來大腦會很忙喔。」

貓小花馬上說：「我很需要！我要玩可以增強空間能力的遊戲。」

貓巧可在白紙上畫出 16 個點，橫排 4 點、直排也 4 點。給貓小花紅色的筆，貓小葉藍色的筆。兩人先猜拳，贏的人先開始畫線。

猜猜看，這個遊戲誰會贏？

跟著貓巧可玩遊戲 1

遊戲說明

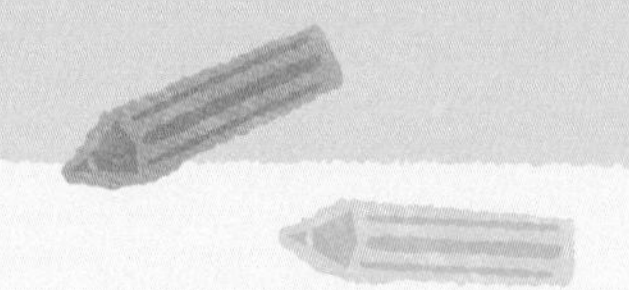

1. 準備一張紙與兩枝不同顏色的筆，比如紅色筆與藍色筆。
2. 兩人猜拳，贏的人先畫第一條線。每兩點可連成一條線（只能畫直線或橫線）。接著換第二個人畫線。
3. 誰先將線連成一個密閉的方格，就將這個格子塗上代表自己的顏色或符號，代表占領一格。所以這個比賽重點是誰能搶先畫到每一格的第四條線（也就是最後一條線）。
4. 占領一個方格後，可以繼續畫下一條線。若下一條線又是占領成功，還可再繼續畫線。
5. 最後線全部畫完，計算哪個顏色的格子比較多，就是贏家。也可以規定比賽時間內，誰占領最多格。
6. 玩的過程中，想想看有沒有祕訣可以一口氣連續占領很多格？
7. 請看右圖的示範，並預測右圖中，誰是最後的贏家？

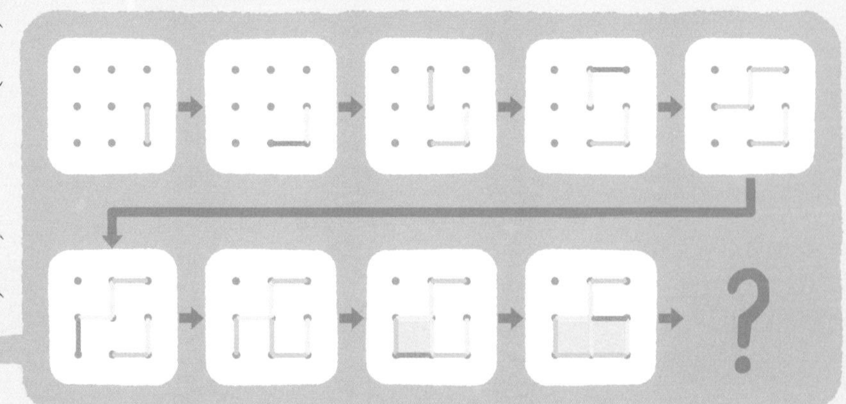

找一位家人或好友一起來玩吧！

「點格棋」是法國數學家愛德華．盧卡斯在 1891 年推出的兩人紙筆遊戲，後來又被延伸出許多玩法。

2 誰躲在裡面

躲貓貓遊戲絕對是貓村小學最受歡迎的遊戲，因為孩子們就是貓咪啊，身為貓咪，當然愛玩躲貓貓。

可是要躲在哪裡才不被發現，就大大的考驗貓小葉了！因為他總是還在東想西想，不確定該躲在哪裡時，就被當「鬼」的人找到。

貓小葉每次都大叫：「不公平！我的腿比較短，跑不快，所以躲得慢。」

貓巧可建議：「不如，都由你來當鬼，就沒有這個問題。」

貓小葉面對大樹，閉著眼睛數：「一二三四五六七，快躲快躲別遲疑；七六五四三二一，我當小鬼來抓你！」

找的時候，貓小葉不管走到哪裡，都會大聲問：「誰在裡面？」

躲在裡面的人會忍不住回答：「沒人。」貓小葉於是準備跑進去抓人，只是，腿太短的他，又跑輸了，誰也沒抓到。

貓小葉哭喪著臉：「我不適合玩躲貓貓。我比較適合玩看誰跑得慢！」

沒關係，貓巧可說：「我們來玩另一種不用腳的躲貓貓遊戲。」

跟著貓巧可玩遊戲 2

遊戲說明

1 請看下圖，每一排的形狀分別是什麼？各有幾個？再推測？裡缺少的圖形是什麼。

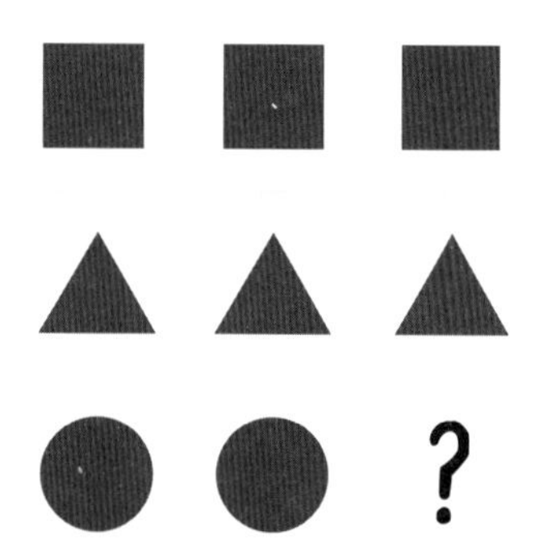

2 請看下圖，每一排的顏色有幾種？分別是什麼？想一想？裡缺少的是什麼顏色呢？

3 將 1 和 2 的圖合併後，下圖裡的？裡是什麼圖形呢？

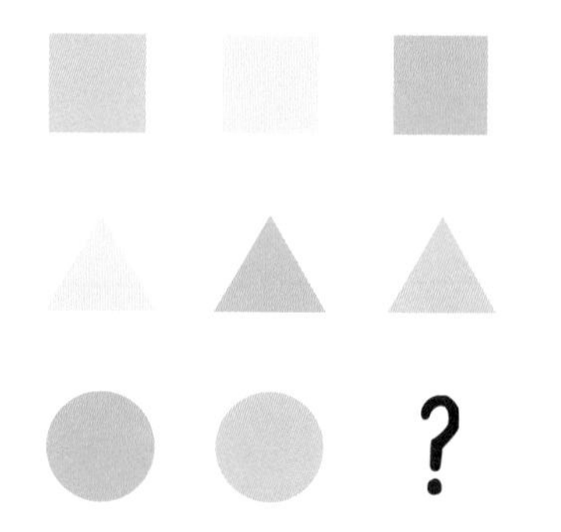

4 看看下圖又比 3 的圖多了什麼元素呢？再試推測出？裡的圖案。

請試著解開？的答案吧！

請試著出題目讓大家猜一猜吧！

①這個遊戲屬於圖像的推裡，必須先觀察第一排與第二排的圖形，「類比」出它們的邏輯，也就是找到規則，才能推論出答案。

②此類題目，可以先提醒孩子找出有哪些圖像元素，比如這個遊戲裡有：外框、三種小圖案、三種顏色；有些外框有缺口，缺口方向有改變。根據這些線索，便能推論出：必須找到少了哪一種小圖案與顏色。

3 幾何花磚

這一天，貓巧可與貓小花、貓小葉到博物館去參觀一個很特別的展覽。一走進館裡，貓小葉忍不住小聲驚呼：「我的眼睛好忙！」

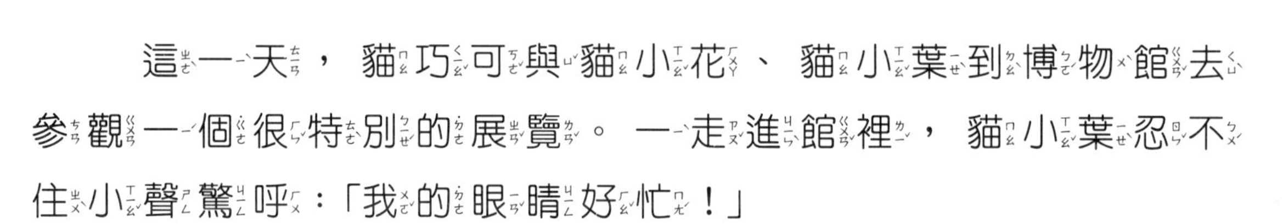

沒錯，忙著欣賞牆上掛的藝術品，每一幅作品都五彩繽紛，線條也十分複雜，真不知道該先看哪一幅？

「你們發現了嗎？」貓巧可指著其中一幅，請兩個人仔細看。「雖然看起來線條繞來繞去很細密，但是，把它們一格格的分開看，就不覺得複雜了；整幅畫，是從某一小格複製而已。」

原來，這個展覽的主題是各國美麗的花磚畫，有西班牙、義大利、摩洛哥、日本、臺灣等。展覽的說明書上寫著，這些畫是複製百年老建築的花磚，共同的特色是對稱的幾何造形。幾何就是看起來規規矩矩的造形，比如方形、三角形、圓形。

對稱又是什麼？貓巧可為貓小葉示範：「如果從你的鼻子中央畫一條直線，會發現左邊與右邊都一樣，這就是左右對稱。」

「為什麼在我鼻子畫線啦！看完展覽，貓巧可要請我吃冰，吃到我鼻子冰冰涼涼的才行。」貓小葉摸摸鼻子，小聲宣布：「我最喜歡吃蟑螂蜜豆冰。」

跟著貓巧可玩遊戲 3

遊戲說明

1 看一看下面的磁磚牆，仔細觀察花紋上的重複圖案，找出一片完整的花磚。

2 知道幾何重複圖案的原理後，請試著複製花磚的花紋，完成第15頁的花磚圖案。

請拿出鉛筆來複製花磚畫，再用色鉛筆塗上顏色。還有兩幅空白畫，請你設計花磚圖案唷！

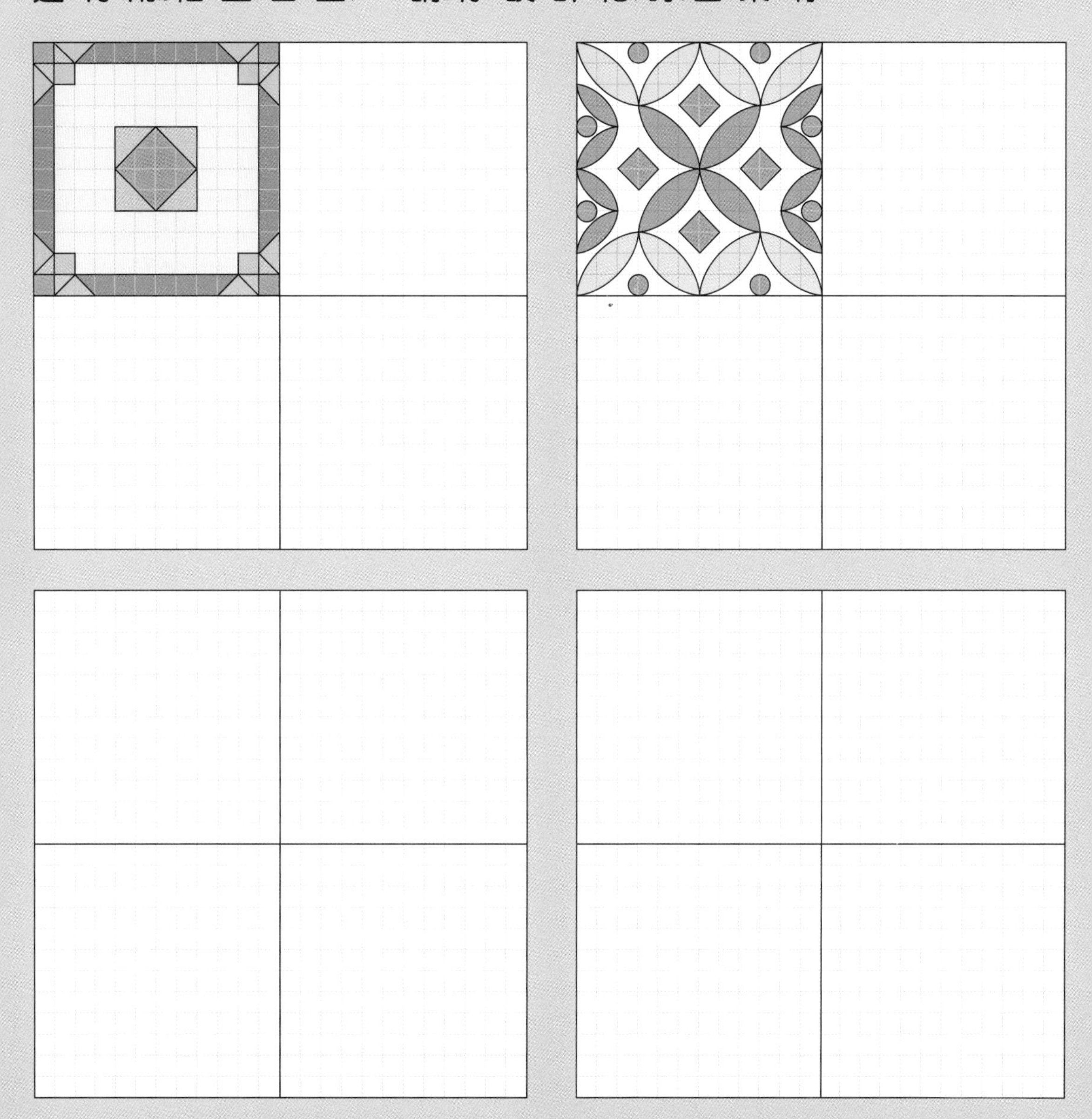

這個遊戲在於培養孩子對空間的掌握能力。一開始如果無法掌握上下與左右對稱，可以請孩子將紙轉動一下，讓每一個小正方形都維持在左上角位置，檢查幾何圖案的方向與大小是否皆相同，或是數格子確認位置是否正確。

4 找出規則

「跳房子」是貓巧可與貓小花、貓小葉最愛玩的戶外遊戲。跳跳跳，左腳、右腳、單腳、雙腳；貓小葉跳得額頭上都流汗了。哎呀，一不小心，摔在地上。

貓巧可趕緊將貓小葉扶起來，還檢查他有沒有受傷？

小葉說：「沒事沒事，剛才我一直想著跳房子的順序，所以分心了。」

貓小花說：「你下次乾脆隨便跳，別想著順序，想怎麼跳就怎麼跳。」

可是，貓小葉卻說：「如果只是隨便亂跳，那就不好玩了。」

也對。如果遊戲沒有一定的規則，只是跳來跳去，那又何必畫格子來玩？

「而且格子裡寫著數字，本來就必須照順序來玩。」貓小葉邊跳邊喊：「一二三四、ㄅㄆㄇㄈ、A B C D。」

貓巧可問：「如果我說 1、3、5，你們應該接什麼？」

貓小花笑著說：「我知道，是 7、9、11。這是奇數，老師教過。」

貓小葉點頭：「我懂了，就是數字也在玩跳房子，跳來跳去。」

跟著貓巧可玩遊戲 4

遊戲說明

1. 請先認識下面26個英文字母的先後順序。

A B C D E F G H I J K L M

N O P Q R S T U V W X Y Z

2. 請觀察這題英文字母的順序，推測出？的符號是什麼。

A B C D E ?

3. 觀察下面英文字母的順序，推測出？的字母是什麼。

A C E G I ?

A C F J O ?

小提示

都跳過1個字母。

依序跳過1個、2個、3個、4個、5個字母。

試著找到字母的邏輯，在　裡寫出正確的答案吧！

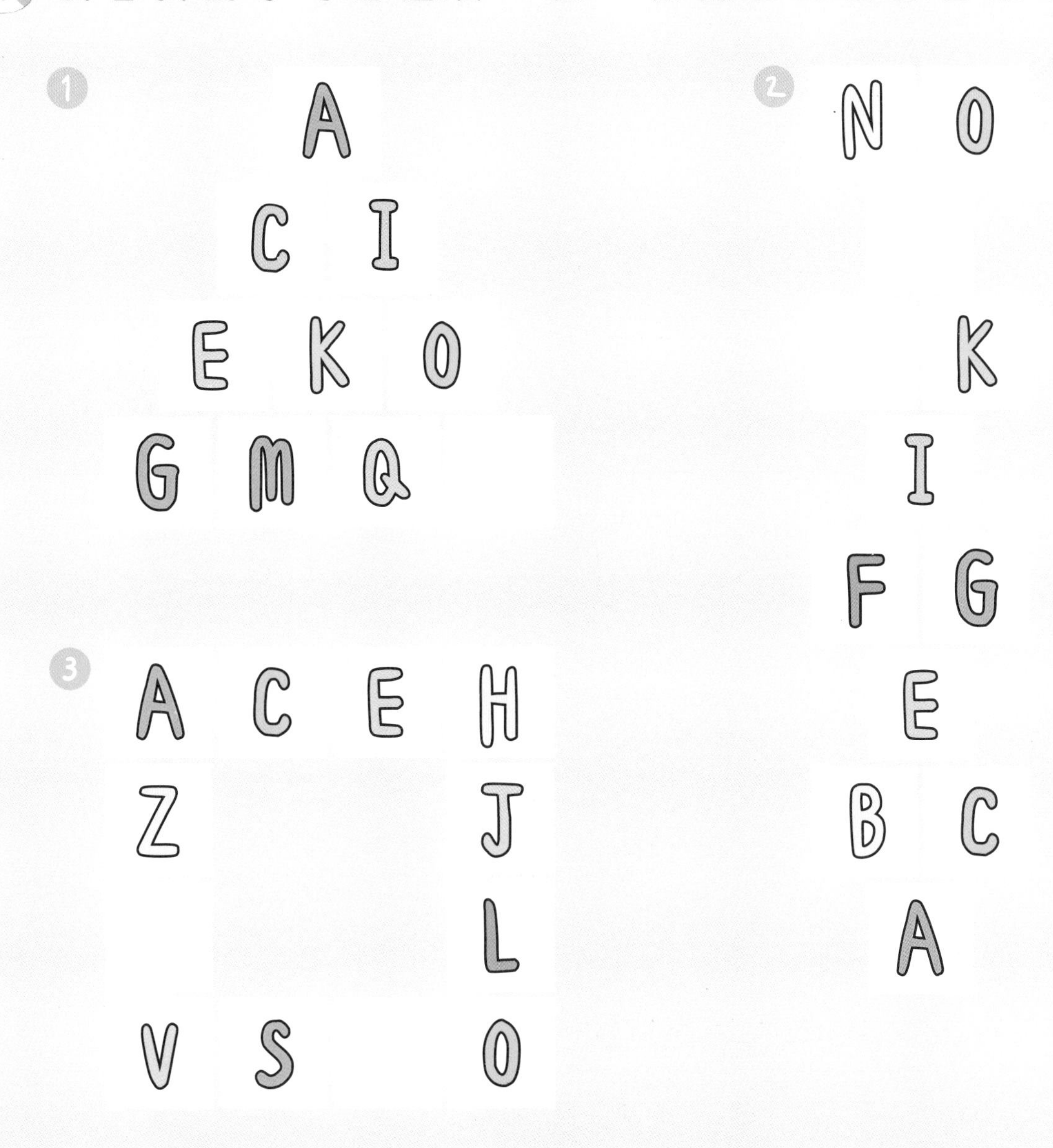

找出規則，運用的是「歸納」能力，再「推論」出答案。
此類字母題，考驗的是如何歸納出它的「排序規則」；
排序，通常就是跟順序有關，可先從這一點去思考。

5 記憶體操

貓小葉的媽媽最大的煩惱，就是不管她交待貓小葉做什麼，五秒鐘後，貓小葉就忘記了。

貓小花哼了一聲：「我認為小葉是故意的。」

「才不是！」貓小葉說完，就大哭起來。他邊哭邊說：「我不是故意忘記媽媽交待的事情，是因為……因為……，哎呀，我忘記因為什麼了啦。」

貓小花輕輕拍著弟弟的頭：「你看，你又忘了。媽媽昨天才提醒你，遇到事情不能只是大哭，想辦法好好說清楚才能解決。」

貓小葉擦擦眼淚，小聲說：「我就是記不得嘛。」

幸好，貓巧可有一個遊戲，可以練習讓自己的記憶力變好一點。

「記憶力需要不斷練習，不管到幾歲，都能透過遊戲讓大腦的記憶功能不流失。」貓巧可說完，貓小葉的媽媽連忙說：「那麼，我也要玩。有時候，我也會忘記我的眼鏡放在哪裡。咦，在哪裡？」

跟著貓巧可玩遊戲 5

遊戲說明

1 剪下第51頁附件中的紙型，黏貼成紙骰子。在另一張紙上寫出6面骰子對應的動作。

2 初期玩時，動作可以對應點數，讓參與遊戲的人比較好記。例如：

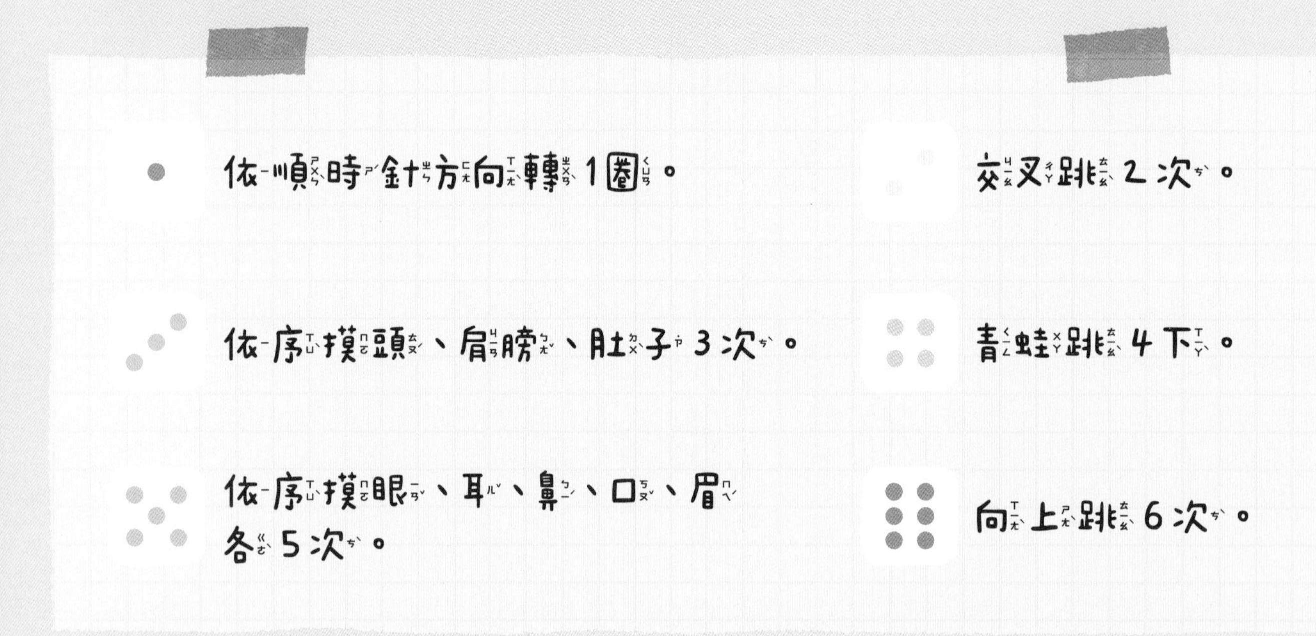

3 擲骰子，根據朝上的點數，做出對應的動作。

4 答錯兩次的人淘汰，找出記憶力最好的玩家。

換你出題了，請在每個對應的點數裡寫下要做的動作吧！也可以增加難度，第二個玩家除了要做自己骰出的動作，還要做出前一個玩家骰到的動作，第三個玩家則要加上第一、第二玩家的動作，以此類推。

記憶力可說是思考能力的基本，通常還需要加上專注力的協助。記憶力是可以練習的，透過這個遊戲，不但將大腦中有關記憶的大腦突觸連結得更牢，再加上身體動作更有益健康。

6 數字金字塔

圖書館裡有許多介紹國外的書，不但描述得很精采，書上附錄的照片，也常讓貓巧可與兩位好朋友看得入神。貓小花會指著書上的圖片說：「總有一天，我要到法國去吃可麗餅，看艾菲爾鐵塔。」

貓巧可也說：「我的目標是義大利的鮮果冰淇淋，以及比薩斜塔。」

許多國家都有自己的特色餐點，還有形狀特殊的高塔。

貓小葉也大喊：「我也要去看塔！ 我要看埃及古時候的金字塔。」

金字塔又古老又神祕，小葉說三角造形的尖頂朝向天空，好像是一頂尖尖的帽子，是古代的埃及人送給大地的裝飾品。

雖然貓小葉的說法很可愛，不過，當貓巧可讀著書上的句子，他們知道金字塔其實是墳墓時，貓小葉又大叫：「我不敢去了」。

那麼，就先跟貓巧可玩個紙上的金字塔遊戲，練練大腦吧。

跟著貓巧可玩遊戲 6

遊戲說明

1 請先看一看這個金字塔上排和下排的數字有什麼關聯性？

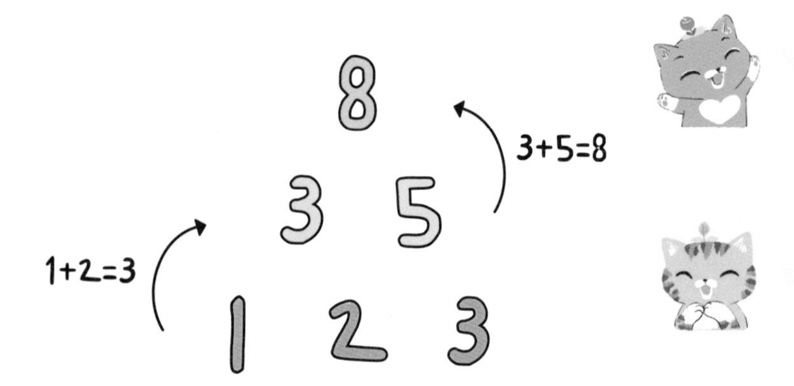

我知道，最上排的數字等於第二排兩個數字相加。

我也知道，第二排的 3 就是下面相鄰的兩個數字相加。

2 那你們再看看這數字之間有什麼關聯性？

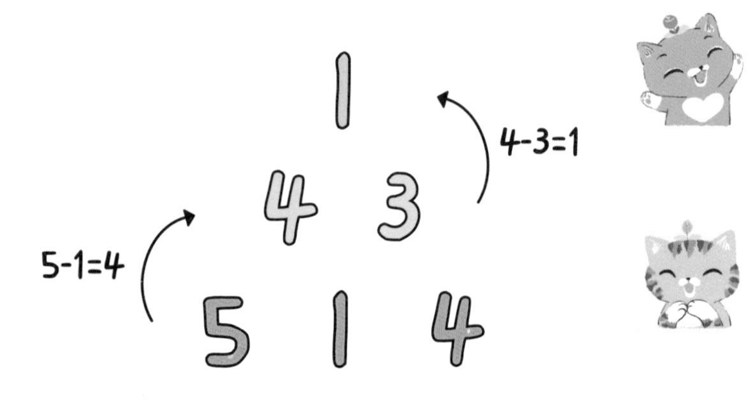

我知道，最上排的數字等於第二排兩個數字相減。

我也知道，第二排的 4 就是下面相鄰的兩個數字相減。

知道了方法後，你也試著回答出下面的問題吧！

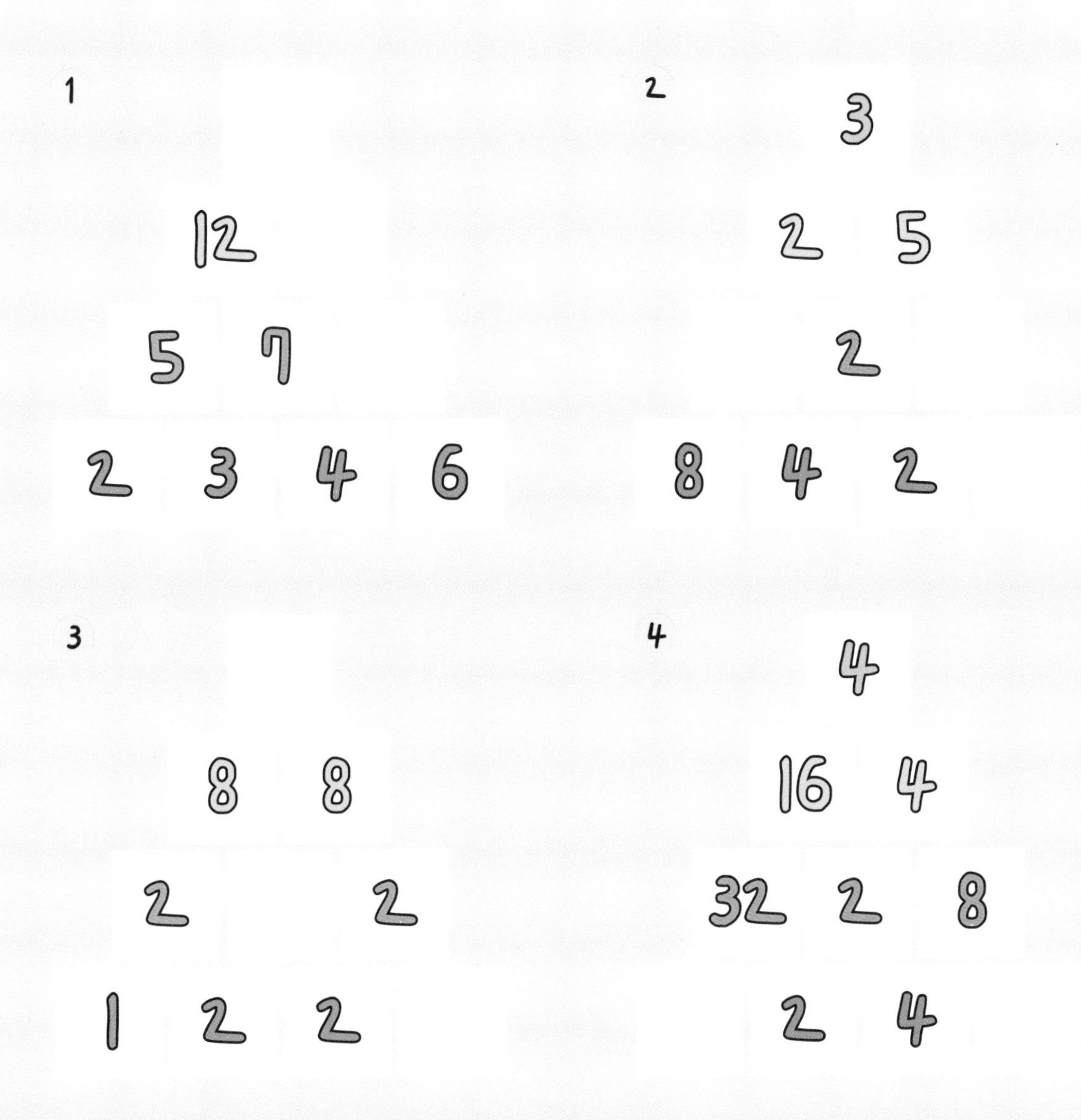

①金字塔的數字是一層層疊上去的，所以可由最底層，往上思考上下兩層的數字關係。數字的排列邏輯，通常跟順序或計算有關。在這個遊戲中，如果仔細研究上下的關係，會發現與順序無關，必須加以計算。下一層的兩個數字相加、相減或其他計算方法，成為上層數字。

②此遊戲是「帕斯卡三角形」（Pascal's Triangle）的簡易版（稱為須彌山之梯、楊輝三角等）。是一種精密的數學排列，以金字塔三角形方式呈現。

7 有關係還是沒關係

今天貓小葉非常不高興，頭上一片葉子也沒有。因為，姐姐貓小花要去喝下午茶，卻拒絕讓小葉參加。

「為什麼？不公平！」貓小葉氣呼呼的，還拉著貓巧可說：「我不管，姐姐要帶我和貓巧可一起去。」

貓小花只好解釋：「這個下午茶會，只有女生可以參加。」

貓小葉又問說：「為什麼？不公平！我是你弟弟，跟你的關係，比跟那些女生的關係，更重要、更親密啊。」

貓巧可抱抱貓小葉，安慰他：「沒關係。我們也來舉辦另一個下午茶會，只有男生能參加。」

可是，貓小花也想參加，畢竟，他們三個人是貓村裡最要好的朋友。

貓巧可說：「沒問題，我們的男生茶會，改成只要家裡有男生都可以參加。這樣就行啦！」

貓巧可真厲害，只改了幾個字，就把原本的沒關係，變成有關係了。

跟著貓巧可玩遊戲 7

遊戲說明

1 請看下圖，說一說貓巧可和貓小花的特徵，如：外形、身分、名字、家庭、個性、喜好……。

2 找出兩人相同的特徵，填在圓圈的交集處（綠色區塊），不同的特徵填在藍色和黃色的地方。

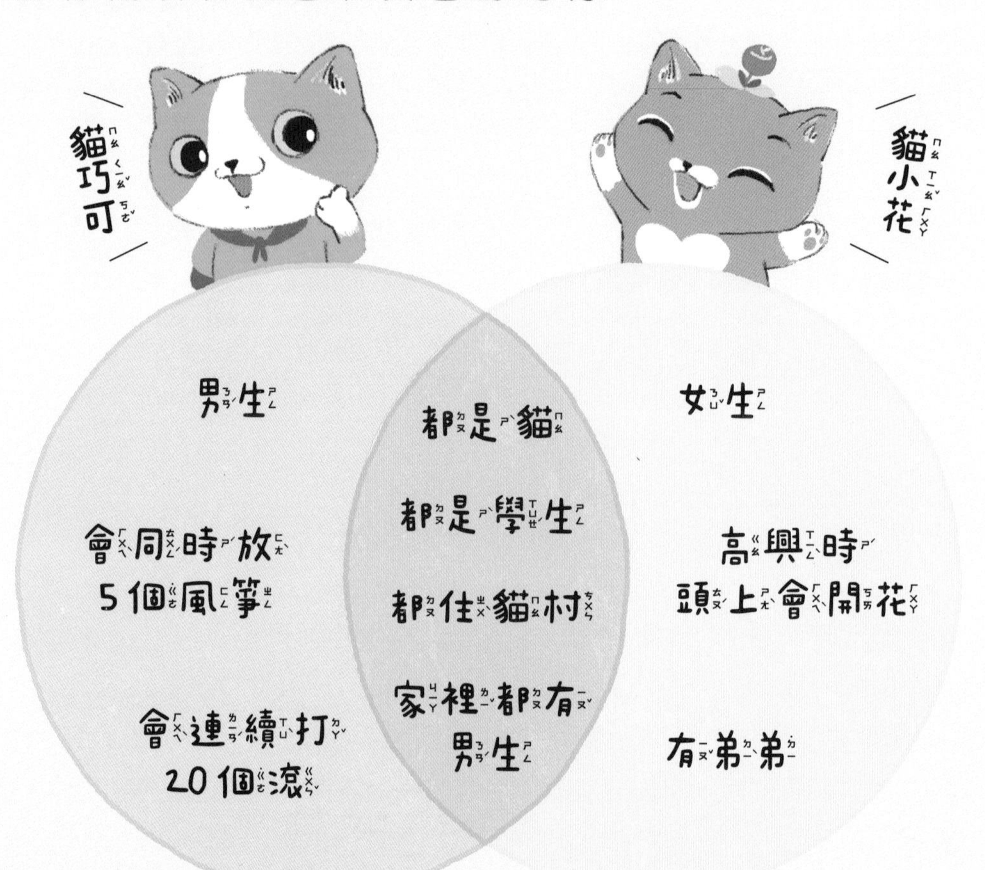

請你試著完成下面的關係圖，找出左右兩個相同之處。

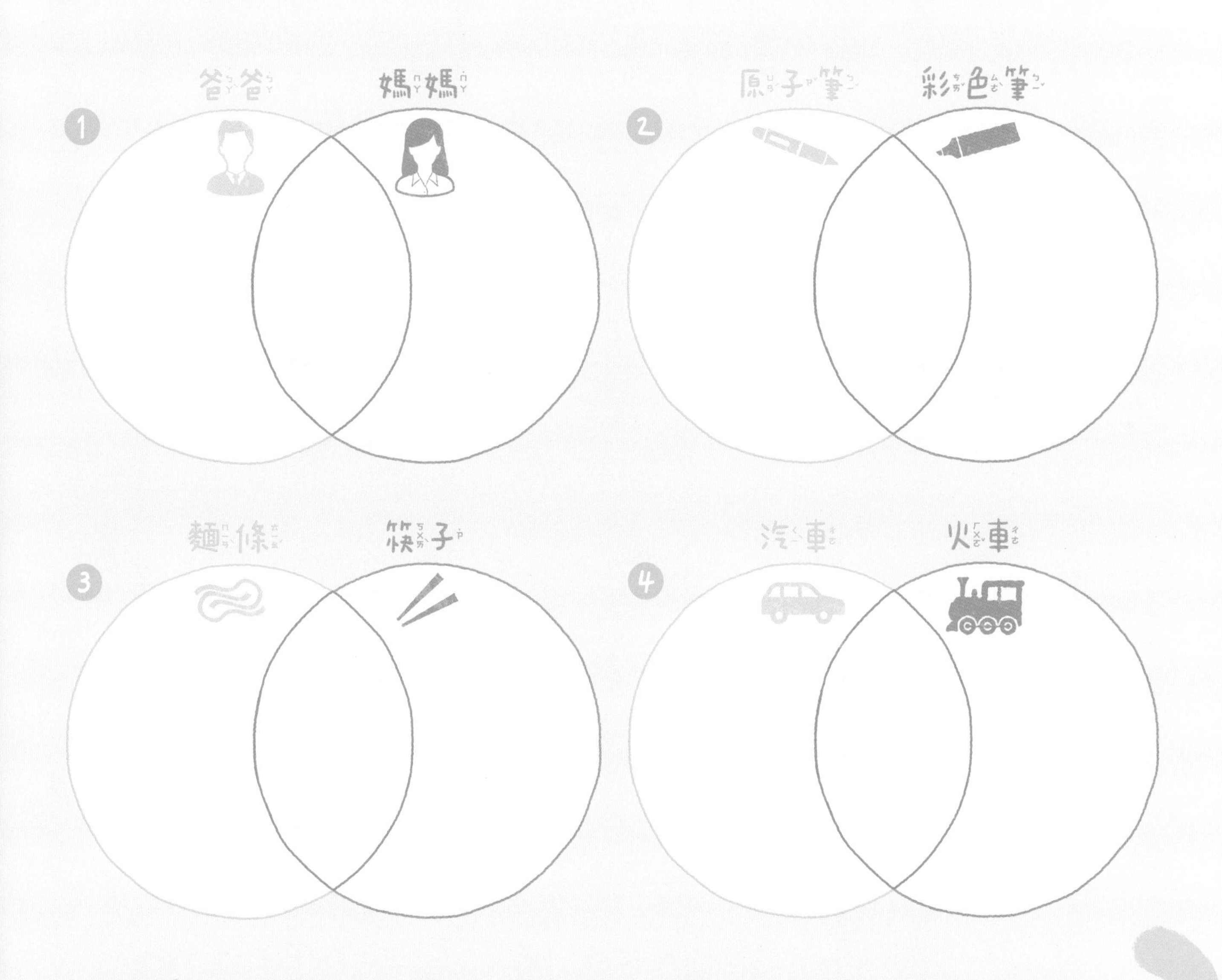

這種圖的正式名稱是「文氏圖」（Venn diagram，也譯為維恩圖、范氏圖等）。是 1880 年，英國的數學家約翰．文氏（John Venn）發表的，用來描述「數學集合」的方式。後來被廣泛應用於描述兩種或多種項目的相同與不同。比如，也可用於閱讀，簡要介紹「白雪公主」與「人魚公主」的「有關係與沒關係」。

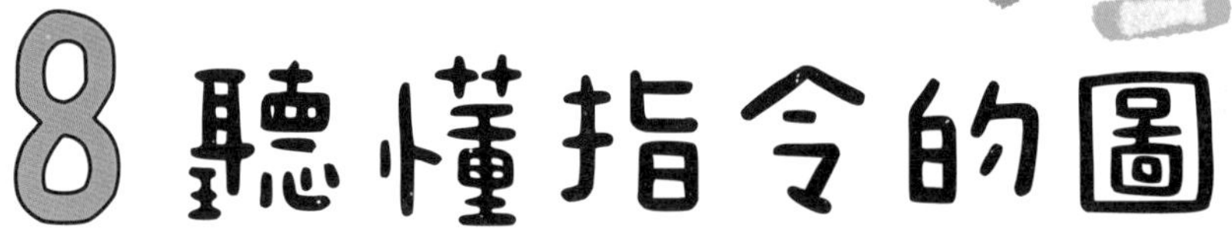

8 聽懂指令的圖

貓小葉想畫一張圖，寄給大象先生當作生日禮物。可是問題來了，他說：「我怕畫得不好，把大象先生畫成小豬。」

貓小花拍手哈哈大笑：「我記得小葉曾經把媽媽畫得像小熊媽媽。」

「小熊很可愛啊。」貓巧可覺得畫圖不在乎畫得像不像，重要的是畫畫時心情愉不愉快，以及送圖畫給好朋友的心意。

可是，貓小葉很想把圖畫得很像，至少不要把大象先生畫成小豬。

貓巧可拿出一張畫滿格子的紙，教貓小葉一個好方法。「順著數字的指令來畫，像在玩猜謎遊戲，最後會變成一張圖喔。」

沒想到，跟著指令來畫，真的畫出大象先生了。貓小葉好開心啊，還說：「我也要出一道指令，讓姐姐來畫。」

看來這個遊戲不但讓貓小葉有畫圖的信心，也激發他的動腦興趣了。

跟著貓巧可玩遊戲 8

遊戲說明

1 請先看下圖的示範，根據題目的指示，從藍點開始畫；數字表示要畫的格子數目，箭號是方向，則最後會畫出解答中的小帆船。

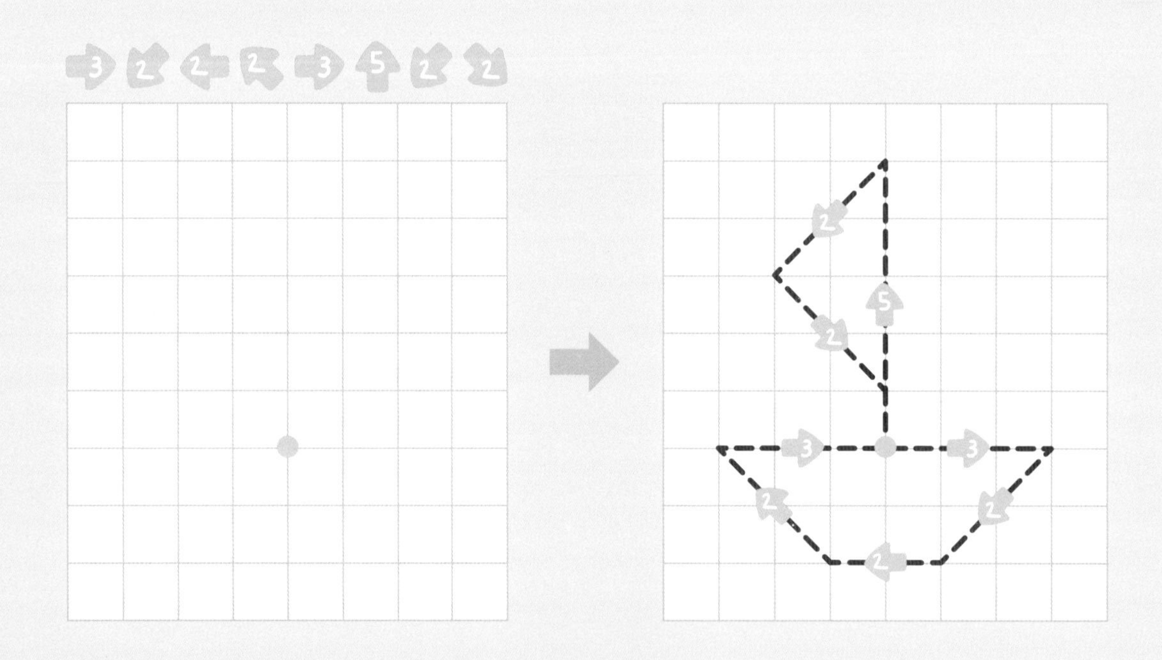

2 還可以發明指令，讓別人來畫畫看。可以先在格子紙上以鉛筆輕輕畫，一面寫下指令，畫好後再擦掉鉛筆線。

現在請你跟著指令來畫格子的數目與方向，
看最後會畫成什麼？

1 ● 開始

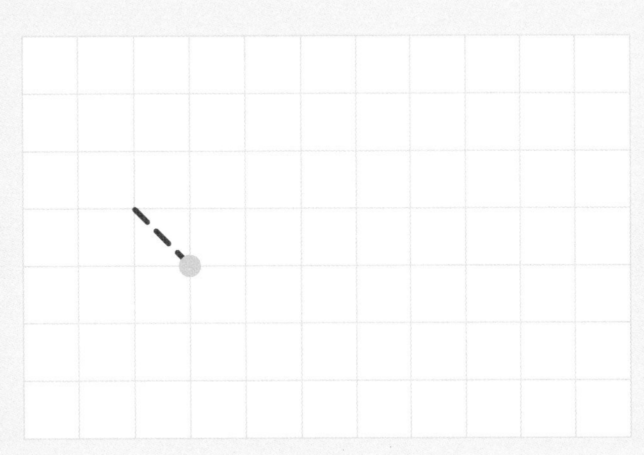

2 ● 開始

● 開始

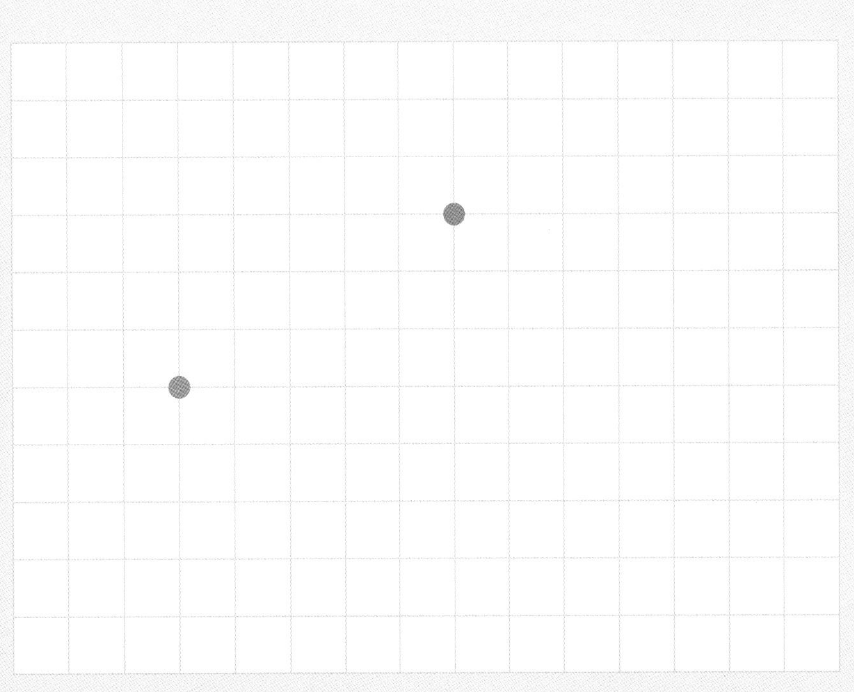

這個遊戲也跟程式設計的基本原理有關，
都是在練習「正確下指令，以完成任務」。

9 數牆

吃過中飯，貓小花帶著貓小葉到公園散步，正好看見貓巧可也在公園欣賞飛舞的蝴蝶。

忽然，貓小葉看見公園後方，原本是一面灰色的牆，如今被貼上一片片磁磚，成為美麗的圖案。再仔細一瞧，正是蝴蝶翩翩飛舞的圖形呢。

貓巧可說：「每當這個季節，蝴蝶總喜歡在這裡跳舞。所以，公園的管理員，決定把這裡稱為蝴蝶公園。」

當蝴蝶飛到別的地方旅行時，這裡還有一整面繽紛的牆，讓大家想像著微微春風裡，空中滿是蝶影的情況。這樣的牆面設計，有搭配原本公園的特色，真是個好想法。

好美的牆啊，貓小葉決定回家後，也在紙上畫出有獨特造形的牆面。

貓巧可說：「正好有一個紙上遊戲，就叫數牆，是在格子紙上塗上顏色，也有點像是一面有圖案的牆壁呢。」

跟著貓巧可玩遊戲 9

遊戲說明

1. 請看下圖的示範，必須符合每一橫排與直排的數目要求，將格子塗黑（或畫記號）。

1-1

橫排的數字代表這一排會出現的格數，例如這裡有1，右邊的5個格子，其中1格要塗色。但因為不確定是哪1格，所以先不塗。

	2 2	1	2	2	4
1 1					
1 3					
3					
2 1					
1					

1-2

出現2個數字時，代表會出現2種格數，且格數間會出現至少1格的空格。例如這裡是1和3，代表先塗1格再連續塗3格，因為中間至少空1格，所以畫記方式如圖示。為了方便推理，空格處可以畫X，代表不能塗色。

	2 2	1	2	2	4
1 1					
1 3	■	×	■	■	■
3					
2 1					
1					

1-3

直排數字的原則同橫排，這裡有2和2，代表會依序出現2格、2格，中間至少空1格。

再看到原本出現的1，因為已經確定1格的位置，所以其他的都畫X。

	2 2	1	2	2	4
1 1	■				
1 3	■	×	■	■	■
3	×				
2 1	■				
1	■	×	×	×	×

1-4

這排要出現4格，已經確定最下面的格子不能塗色，所以上面4格可以填上顏色。

這裡出現2格、1格，也可以得到答案。

	2 2	1	2	2	4
1 1	■				■
1 3	■	×	■	■	■
3	×				■
2 1	■	■	×	×	■
1	■	×	×	×	×

2. 知道原理後，可自己設計題目來考考別人。小祕訣是：先畫好格子（格子數多，甚至可設計成某種圖形或文字），寫上數字；再擦掉格子內的記號當作題目。

學會遊戲規則和推理方法後，現在換你來試試看。

1

	2 2	3	3 1	1	1
3					
3					
2					
1					
1 3					

2

	3	2	1 2	1 2	2
1 2					
1 1 1					
1					
3					
3					

3

	1 1	3	2	2 2	2
3					
4					
1					
1 2					
2					

4

	3	1 2	2	2	3
2					
1					
1 1					
4					
4					

5

	4 1	2	3 3 2	3 1 1	3 2	3 2	1 2	2 1 1	2 3 1	2 5
1 3 3										
1 4 3										
1 5										
2 1										
2										
2 2										
1 2										
3										
1 1 3 1										
8										

「數牆」(Nonogram) 遊戲，又稱為「數織、邏輯馬賽克」等，最早是 1987 年日本人西尾徹也推出。

10 會搬家的塔

「天啊！太強大啦。」貓小花看到操場上，貓咪體操隊正在練習「疊羅漢」，不禁叫出聲。

只見最底層的三隻貓咪，上面站著兩層貓咪，最上層還有貓小白，六隻貓咪像一座高塔，站得很挺直。「會不會掉下來，整座貓塔倒塌啊？」貓小花看了，在心裡替大家緊張。

貓咪老師也張大眼睛，說：「沒想到你們真的成功了！恭喜。」

表演結束後，中層與上層的貓咪往下跳，六隻貓咪的疊羅漢體操表演，真是靈活又有精神。

貓小白擦擦汗，告訴大家：「每天放學後，我們都在練習，很辛苦呢。」

看來，辛苦還是得到美好的成果。

貓小葉吐吐舌頭：「這種辛苦我還是別嘗試，我太容易摔跤了。」

幸好，貓巧可有一款疊羅漢遊戲，保證不會摔跤，來跟著貓巧可一起玩吧！

跟著貓巧可玩遊戲 10

遊戲說明

1. 剪下附件第53頁大、中、小三種尺寸的圓形，放在第45頁的最左邊，由大到小往上排列。

2. 透過移動圓紙板，將所有的圓紙板，依照大、中、小的順序移到最右邊。

3. 移動圓紙板的規則：
   - 一次只能移動一個紙板。
   - 圓紙板可任意移動放到空白格。
   - 可移動到已有紙板的位置，但大紙板不能放在小、中紙板的上面，中紙板也不能放在小紙板的上面。

4. 依此規則，將一整疊搬到最右一格，也是依大、中、小疊成一疊。

5. 再剪下特大圓紙板，變成特大、大、中、小四張紙板，玩法同上。

6. 可計算移動次數，看看次數有沒有一次比一次少。

可以一個人玩，也可以找家人或朋友一起來比賽，看誰最快完成。

玩家1

玩家2

此遊戲稱為河內塔（Tower of Hanoi），是 1883 年法國數學家愛德華・盧卡斯發明的。據說靈感來自一則古老的傳說：東方寺廟裡，有位祭司不斷移動一疊共有 64 個的黃金圓盤。據說，當走到最後一步，世界就會結束，也有一說是眾神會再度降臨，世界重新開始。

趣味遊戲中奠立系統學習的基礎

文｜國立屏東大學特殊教育學系主任 **侯雅齡**

瑞士心理學家皮亞傑在探討兒童發展的過程中，發現孩子的認知會隨著時間的演變而循序漸進的成長，若能提供具有挑戰性的學習環境，讓孩子主動探索、學習，將有益於認知能力的提升。

這本書用孩子最喜愛的遊戲方式，讓孩童在輕鬆有趣的故事情境下發展觀察、注意、記憶、思考推理、邏輯判斷等認知能力，以記憶來說，工作記憶是指大腦能夠暫時儲存及操作所需要訊息，並在一段時間後，能提取記住的訊息並運用的能力。例如：學校老師事先說明功課內容，但因孩子上課的時候注意力不集中、分心，導致回家寫作業時就不知道老師的指示而不知所措，但又害怕老師責罵而不敢詢問，陷入功課寫錯又被老師責罵的惡性循環中；上課時因注意力不足，孩子只能聽懂上課的部分內容，無法完整的專注在課程上，會造成理解上課內容比其他孩子更加困難，學習成效不佳，而造成學科上的挫折感；在家庭方面，因工作記憶不佳，常忘東忘西，輕者是忘記帶東西，嚴重者忘記重要會議或是與他人有約，容易造成他人觀感不佳，而造成人際關係的問題。

和他人溝通時可知邏輯推理的重要性，能依照他人所說的話提出這段話的相關結論，並從記憶裡提出相關話題和發現問題的能力，或面對事情進行邏輯思考，並具備對與錯的判斷能力，如：現在是網路的時代，孩子的娛樂從實體玩具變成軟體遊戲，這面對的問題是孩子是否能在眾多訊息中找尋正確資訊，並判斷哪些是詐騙訊息是非常重要的，若孩子缺乏邏輯推理能力，容易造成孩子在網路上被欺騙，甚至是誘拐的問題產生，所以培養認知能力可減少孩子處於危險之中，遇到事情也能快速依照現場情況進行判斷如何有效處理，讓事情加以完善。

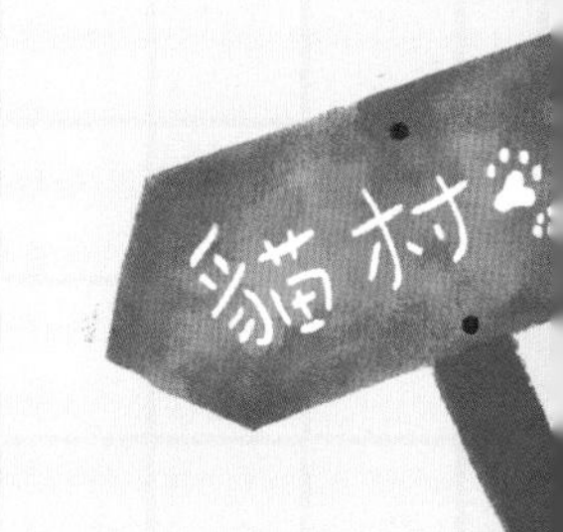

觀察是察覺事務的細節或事情的動向，事務的細節包括與人相處時人的臉部表情和說話語氣，利用察言觀色可以從對方的肢體動作、服裝穿著等，了解對方是什麼樣的人，進而從對方喜好進行有效的安排和溝通，如：發現同學臉色很差，可推測同學此時心情不好，便要多加注意自己的言行舉止，並適時運用同理心安慰同學，減少衝突的發生。

從以上舉例可知認知能力對於學校生活適應與學習適應都有直接的影響。期待這本充滿童趣的遊戲書，能讓孩子在趣味遊戲中享受動腦的樂趣，也奠立系統學習的基礎。

學習力（大腦認知能力）是什麼呢？

		遊戲對照篇章
知覺注意力（觀察）	知覺／觀察能力包含對形狀、物體、顏色、和其他的特性的辨認和認識。也使得我們可以判斷大小、構造和形態，知道物體間的空間關係等。 如果孩子在辨認的知覺基礎能力低下，會造成閱讀、學習的困難。	1 2 3 7 8 9
工作記憶	屬於短期記憶的一部份，從外界接收訊息後，重要的部分會進入短期記憶中暫時保存，之後再透過重複或背誦的過程形成長期記憶。因此，工作（短期）記憶是學習的基礎。	5
思考推理（演繹）	從目前已知的部分事物，演繹推論未知的結果，建立在充分理解知識後，繼續類推的能力。還可以細分為數字推理、文字推理與空間推理等。	數字推理 2 6 文字推理 4 空間推理 1 9 10
邏輯判斷（歸納）	從一系列的經驗或知識中，找出共同的規律或規則，是理解知識的基礎。	1 2 3 4 6 7 9 10

給大朋友的話

聰明就是強大的腦力

王淑芬

我們常希望孩子越來越聰明，究竟，聰明是指什麼？

聰明指的是解決問題、適應生活的能力，這種能力包含兩種思考模式。一是聚斂式能力（或稱垂直式），指的是如何透過「歸納」，而「推論」出一個正確答案。另一個是擴散式能力（或稱水平式），指的是如何突破舊思維，延伸出更多可能的解答。所以，聰明就是腦力、思考能力。

臺灣目前的基礎教育，課程分為八大領域：語文、數學、社會、自然科學、藝術、綜合活動、科技、健康與體育；除了腦力（思考能力）也有體力、社交能力。然而，腦力當然是一切的基本，若無大腦思考能力當前提，體力再強也沒用，更別提良好的人際關係。

這套書便是以提升大腦能力當出發點，讓既聰明又大方助人的貓巧可，與好友的故事做為情境，再帶入一則則有趣的遊戲。這些遊戲，都大有學問，與開發腦力有關。

本套書刻意不將遊戲分類，是因為要讓孩子練習如何在一開始，便能辨識這個遊戲需要以哪種方式來玩？畢竟，真正遇到生活中的難題時，不會有人告訴你：這一題是跟空間邏輯有關、這一題需要從不同角度，創意發想。

這套書中的遊戲，連大人都能玩；但我們當然更希望，大腦很強的孩子，其他能力也必須協同，比如克制力、社交能力、表達能力。所以，建議有些遊戲，鼓勵孩子跟別家孩子一起玩，從中練習情緒智商。

總之，祝福大小朋友，越玩越聰明！

國家圖書館出版品預行編目 (CIP) 資料

貓巧可玩記憶體操. 學習力篇 / 王淑芬文 ; 尤淑瑜圖.
-- 第一版. -- 臺北市 : 親子天下股份有限公司, 2022.11
56面 ; 21.5x24.5公分
注音版
ISBN 978-626-305-347-2(平裝)

1.CST: 兒童遊戲 2.CST: 認知學習

523.13　　111016265

繪本 0311

貓巧可玩記憶體操 學習力篇

作者｜王淑芬　繪者｜尤淑瑜　審定｜侯雅齡

責任編輯｜張佑旭　美術設計｜林子晴　行銷企劃｜溫詩潔、王予農
天下雜誌群創辦人｜殷允芃　董事長兼執行長｜何琦瑜
兒童產品事業群　副總經理｜林彥傑　總編輯｜林欣靜　主編｜陳毓書
版權主任｜何晨瑋、黃微真

出版者｜親子天下股份有限公司　地址｜台北市 104 建國北路一段 96 號 4 樓
電話｜（02）2509-2800　傳真｜（02）2509-2462　網址｜www.parenting.com.tw
讀者服務專線｜（02）2662-0332　週一～週五：09:00~17:30　傳真｜（02）2662-6048　客服信箱｜parenting@cw.com.tw
法律顧問｜台英國際商務法律事務所・羅明通律師
製版印刷｜中原造像股份有限公司　總經銷｜大和圖書有限公司　電話：（02）8990-2588

出版日期｜2022 年 11 月第一版第一次印行
定價｜320 元　書號｜BKKP0311P　ISBN｜978-626-305-347-2（平裝）

參考解答

P13

P17

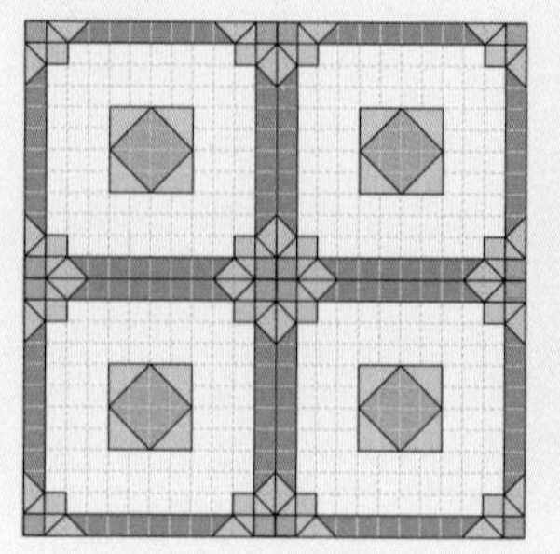

P20

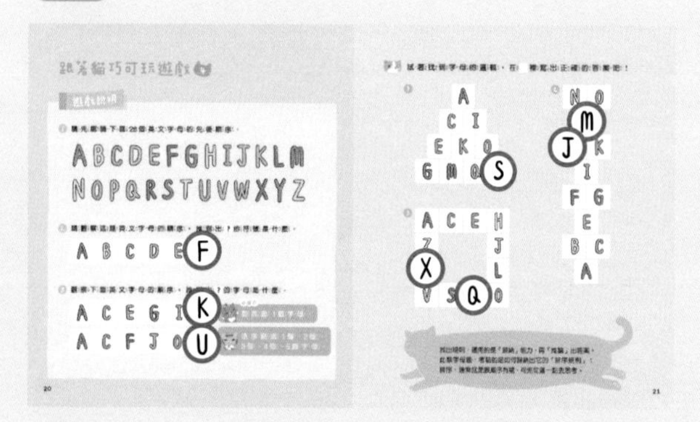

P29

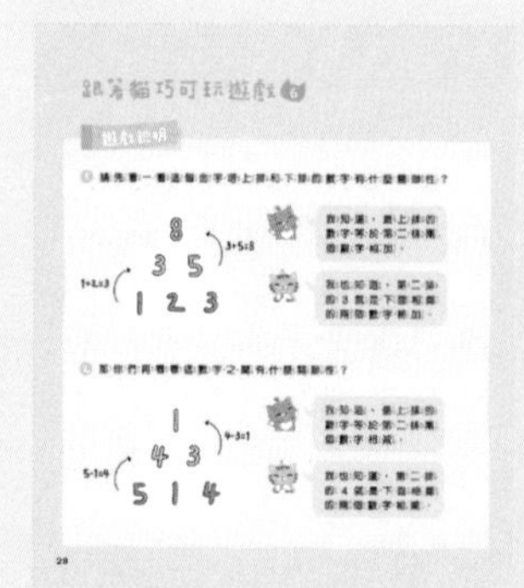

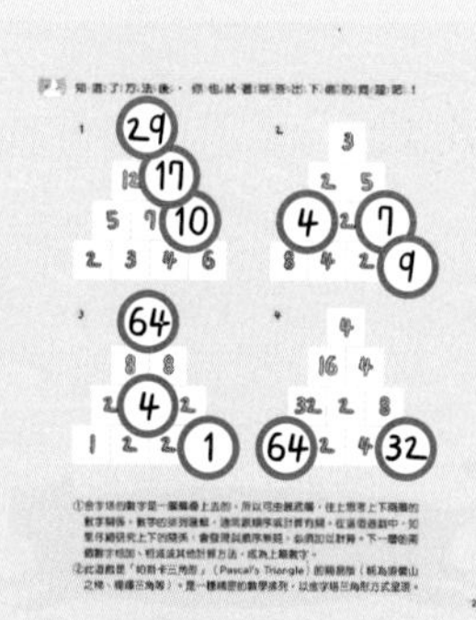

P37

①

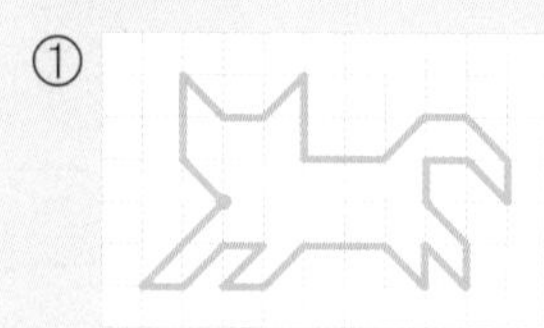

②

P41

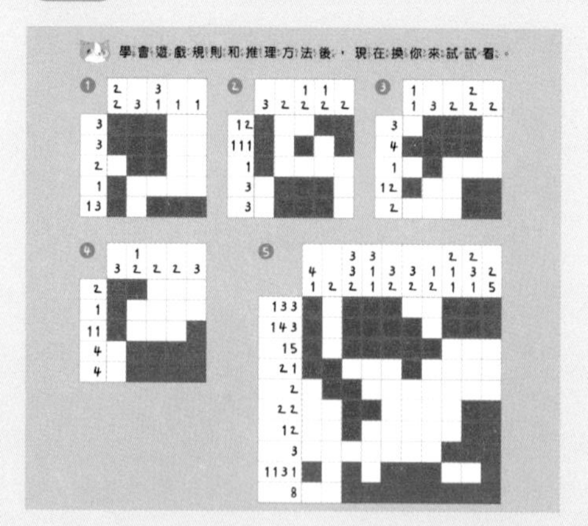

小骰子紙模

掃一掃
附件都可自由
下載使用

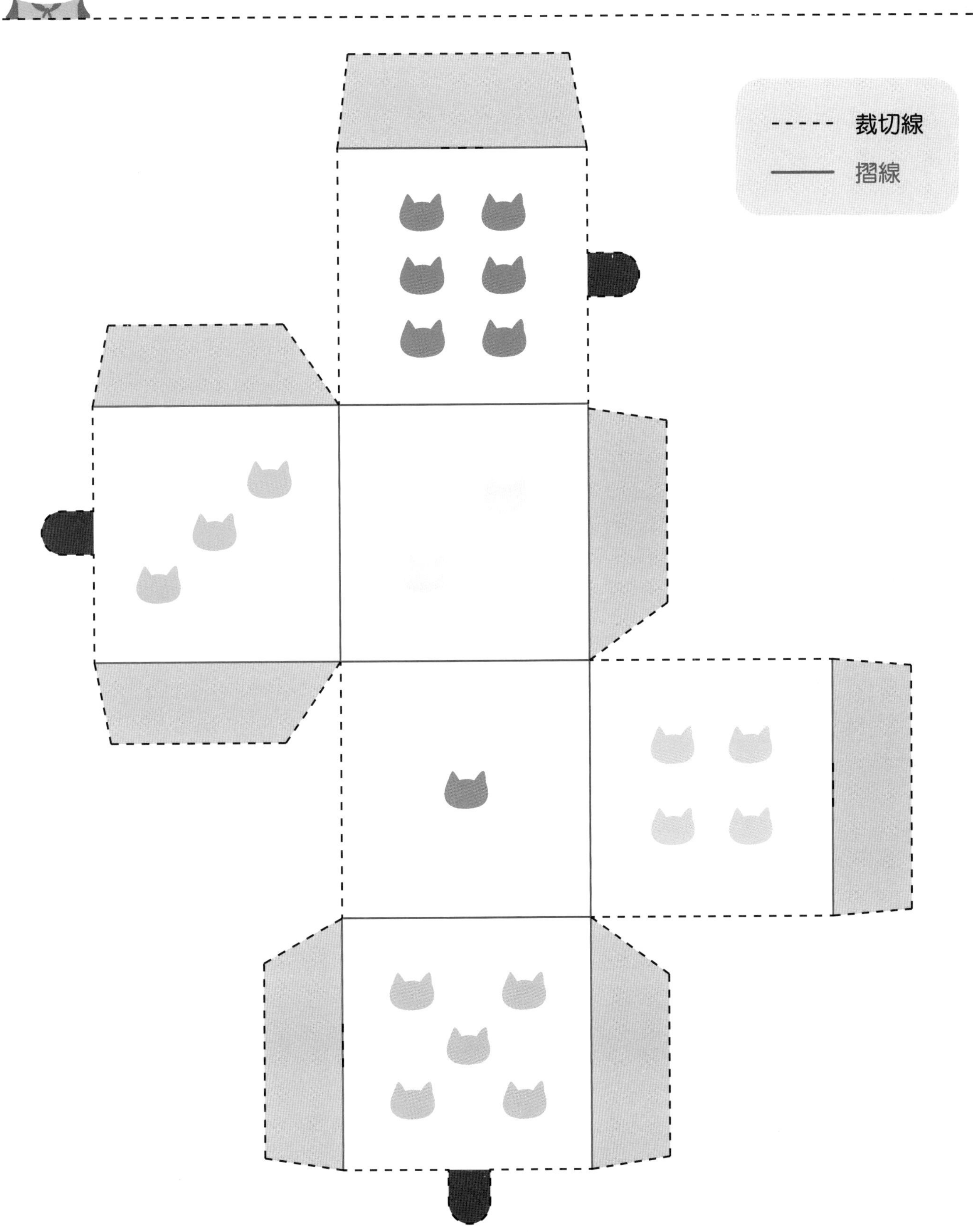

河內塔紙板